moon

mouse

monkey

motorbike

monster

An **m** for a **m**agic
machine!
What can it **m**ake?

2

Put in an **m**
and out comes . . .
the **m**ouse!

Put in an **m**
and out comes . . .
the **m**onkey!

Put in an **m**
and out comes . . .
the **m**otorbike!

Put in an **m**
and out comes . . .
the **m**oon!

Put in an **m**
and out comes . . .
the **m**onster!

Moo cow, **m**oo cow,
how do you do?

Very well, thank you.
Moo, **m**oo, **m**oo!